Qui sera

CW00382508

Gwendoline Raisson est née en 1972. Elle a été journaliste de presse écrite, radio et télé. Parmi ses multiples talents, elle sait parler à l'envers, faire passer le hoquet, imiter le lapin avec sa bouche... et bien sûr écrire des histoires pour les enfants. Elle a publié plus d'une trentaine de romans et d'albums, notamment aux éditions Pastel, l'École des loisirs, ou Flammarion.

Du même auteur dans Bayard Poche :
La maxi-gaffe d'Arthur (Mes premiers J'aime lire)
Allô, héros super ? (J'aime lire)

Marion Puech est née à Toulouse le 14 juillet 1980. Un bac «arts appliqués» et un BTS «Communication visuelle» en poche, elle part pour Strasbourg en 2001. Là-bas, elle passe trois ans à l'école des Arts décoratifs en option illustration. De retour à Toulouse en 2004, elle commence à exercer son activité d'illustratrice pour la presse jeunesse puis pour l'édition. Depuis 2005 elle participe à la revue de bande dessinée *Dopututto* des éditions Misma. En 2006, son premier livre illustré sort chez Bayard éditions jeunesse : *100 % magiciens !* Aujourd'hui, elle vit et travaille toujours à Toulouse.

© 2014, Bayard Éditions
© 2012, magazine *Mes premiers J'aime lire*
Tous droits réservés. Reproduction, même partielle, interdite.
Dépôt légal : janvier 2014
ISBN : 978-2-7470-4983-2
Maquette : Fabienne Vérin
Loi n°49-956 du 16 juillet 1949 sur les publications destinées à la jeunesse.

Qui sera le chef ?

Une histoire écrite par Gwendoline Raisson
illustrée par Marion Puech

mes premiers
J'AIME LIRE
bayard poche

Chapitre 1

Le concours

Dans la ville de Sansouci, il y avait un chef. Jusque-là, il avait fait régner la paix et la joie. Mais ce chef en avait assez d'être chef. Il avait envie de changement. C'est pourquoi, un jour, il décida que quelqu'un devait le remplacer.

Il réunit les habitants de Sansouci sur la grande place.

Le chef déclara :

– Chers amis, cela fait trop longtemps que je suis chef. Je dois laisser ma place. Mais, avant, je voudrais être sûr que mon succes-seur* saura bien s'occuper de la ville. Alors, je vous propose un concours. Tous ceux qui veulent devenir chef doivent nous montrer ce qu'ils sont capables de faire. Nous choisirons ensemble le meilleur d'entre eux.

* Un successeur : La personne qui succède à quelqu'un, c'est-à-dire qui prend sa place quand il s'en va.

On installa une estrade sur la grande place de Sansouci. Bientôt, des hommes et des femmes accoururent pour présenter leurs talents* les plus étonnants.

* Un talent : Une qualité, un don, quelque chose que l'on sait bien faire.

Chapitre 2

Merveilles ou mensonges ?

Un homme bien coiffé monta le premier sur l'estrade. Il annonça :

– Chers amis, vous n'allez pas en croire vos oreilles ! Je sais changer les crottes de pigeon en pièces d'argent ! Ainsi, grâce à moi, plus personne ne sera pauvre.

– Oooh ! s'écrièrent les habitants.

Une grande dame monta à son tour sur l'estrade et prit la parole :

– Quant à moi, croyez-le ou pas, je peux faire pousser des arbres en chocolat avec de la crème Chantilly par-dessus ! Plus personne n'aura jamais faim.

– Oooh ! cria la foule.

Ensuite, ce fut le tour d'un petit homme, qui se mit à gesticuler :

– Je suis celui que vous attendiez ! Figurez-vous que je peux transformer tous les méchants en peluches roses à pois blancs ! Grâce à moi, tout le monde sera en sécurité*.

Le public était emballé. Il se mit à applaudir et à crier :

– Hourra ! Super ! Bravo !

* En sécurité : Quand on se sent en sécurité, on pense qu'on est à l'abri du danger et qu'on ne risque rien.

11

Les habitants de Sansouci virent alors des
enfants pousser une dame sur l'estrade. Un
peu gênée, elle les salua :

– Bonjour, je m'appelle Pépita, je suis maîtresse d'école.

Tout le monde, intrigué, observa la dame.

– Et que sais-tu faire ? demanda quelqu'un.

Pépita annonça timidement :

– Je sais écrire avec des pâtes alphabet, je sais jouer aux cartes sans disputes, réciter une poésie qui fait pleurer. Et aussi imiter le bruit de la tronçonneuse*, de la débroussailleuse*, de la tondeuse, de l'agrafeuse, du sèche-cheveux de la coiffeuse…

Cette fois, les habitants firent la grimace :

– Bof, c'est facile…

– Pfff, un jeu d'enfant !

* Une tronçonneuse : C'est une grosse scie à moteur qui sert à couper les arbres.

* Une débroussailleuse : Une machine dont la lame sert à couper les arbustes, les ronces, les buissons…

Chapitre 3

L'épreuve

Comme tous les concurrents s'étaient présentés, le chef de Sansouci hocha la tête gravement et dit :

– Ces candidats sont vraiment intéressants. Je propose donc que chacun d'eux nous montre ses talents. Ainsi, nous pourrons mieux les juger et les départager.

Les habitants étaient très excités à l'idée de voir toutes les merveilles qu'on leur avait promises. Ils appelèrent d'abord l'homme bien coiffé :

– Montre-nous comment tu transformes les crottes de pigeon en pièces d'argent !

L'homme se mit à courir dans tous les sens pour attraper un pigeon. Il réussit enfin à en saisir un, il lui parla et le posa par terre. Mais rien ne se passa.

L'homme prit un air désolé :

– Vous faites trop de bruit, ce pigeon est effrayé… Je ne peux transformer les crottes de pigeon que dans mon laboratoire.

Il sortit des pièces de sa poche et ajouta :

– Regardez ces belles pièces d'argent, elles sont garanties « crottes de pigeon véritables ». Vous devez me croire !

Les habitants appelèrent la grande dame :

– Montre-nous comment tu fais pousser ton arbre en chocolat, avec de la crème Chantilly par-dessus !

La dame présenta la photo d'un arbre en chocolat et la montra à tout le monde, fièrement.

– Oui, mais on veut voir un arbre en vrai ! dirent les habitants.

La dame prit un air grave :

– Le chocolat et la crème Chantilly sont très mauvais pour la santé. N'en mangez pas. Je dis ça pour vous rendre service, vous pouvez me remercier.

Quant au petit homme qui gesticulait, il ne fit pas plus de merveilles. Et, naturellement, il ne transforma aucun méchant en peluche rose à pois blancs.

Chapitre 4

La classe de Pépita

Les habitants de Sansouci étaient très déçus. Ils n'espéraient plus aucune merveille. Ils appelèrent tout de même la maîtresse d'école.

À nouveau, les enfants poussèrent Pépita sur l'estrade mais, cette fois, ils l'accompagnèrent.

Les enfants écrivirent leurs prénoms avec des pâtes alphabet, jouèrent aux cartes sans se disputer, puis Pépita récita une poésie qui fit pleurer tout le monde. Et, pour terminer, ils imitèrent en chœur la tronçonneuse, la débroussailleuse, la tondeuse, l'agrafeuse et le sèche-cheveux de la coiffeuse.

Les habitants en restèrent bouche bée* :

– Dites donc, elle se débrouille bien, cette Pépita.

– Quelle habileté ! C'est elle qui a appris tout ça aux enfants ?

Sur la place, tout le monde se mit à applaudir. Les enfants crièrent :

– Pépita ! Pépita a gagné ! Ce sera elle, le chef de Sansouci !

* Bouche bée : Bée vient du verbe béer qui veut dire « être grand ouvert ». Rester bouche bée, c'est être si étonné que l'on reste la bouche ouverte.

Pépita eut tout à coup l'air embêté :

– Ça me plairait beaucoup mais si je deviens chef, qui va vous apprendre à lire, à écrire, à vivre ensemble et puis aussi à sauter à l'élastique, à fabriquer des dessous-de-plat en pinces à linge pour vos parents ?

Le silence se fit. Puis le chef prit la parole :

– Moi, j'aimerais bien essayer !

Pépita réfléchit un moment, et répondit :

– Bonne idée, mais je veux être sûre que vous saurez vous débrouiller. Ce n'est pas parce qu'on est chef qu'on sait apprendre aux enfants.

– Que comptez-vous faire pour en être sûre ? demanda le chef.

Pépita fit un grand sourire :

– Un concours, pardi !

mes premiers j'AIME LIRE

ÉDITION

Des histoires pour les lecteurs débutants !

Réfléchir et comprendre
la vie de tous les jours

Rire et sourire
avec des personnages insolites

Se faire peur et frissonner
de plaisir

Rêver et voyager
dans des univers fabuleux

Se lancer dans des aventures
pleines de rebondissements

Petit lecteur deviendra grand

Découvrez le magazine
Mes premiers J'aime lire

DÈS 6 ANS

Votre enfant va découvrir la lecture ?
Notre formule débutants est idéale **pour accompagner son apprentissage pas à pas :**

- Pendant 9 mois, votre enfant reçoit le magazine *Mes premiers J'aime lire*, **spécialement conçu pour accompagner les lecteurs débutants**.

- Pour les 3 derniers mois, votre enfant a grandi et reçoit *J'aime lire*, qu'il est désormais prêt à lire !

- Vous recevez avec chaque numéro **le CD audio de l'histoire** pour guider la lecture.

Pour en savoir plus, rendez-vous sur **www.mespremiersjaimelire.com**

J'AIME LIRE

ÉDITION

bayard

Des premiers romans à dévorer tout seul !

De l'aventure

De l'humour

Des contes

Des histoires de la vie quotidienne

Et encore de lecture

Découvrez toute la collection sur **www.jaimelire-leslivres.fr**

100% lecteurs

Découvrez le magazine *J'aime lire*

J'aime lire est le rendez-vous lecture de tous les 7-10 ans avec chaque mois :

Un vrai roman captivant :
Aventure, comédie, enquêtes...
au fil des mois, des romans
pour tous les goûts !

20 pages de BD
pour oublier l'effort de lire.

Des jeux malins
pour faire travailler ses méninges.

 **on n'a rien inventé de mieux pour aimer lire !**

Achevé d'imprimer en janvier 2014 par Pollina S.A.
85400 Luçon - Numéro d'impression:L67036a
Imprimé en France